Les 4 as et le rallye olympique

DESSIN : FRANÇOIS CRAENHALS
SCÉNARIO : GEORGES CHAULET

CASTERMAN

ISSN 0750-0637
ISBN 2-203-31508-3

Les 4 as et le rallye olympique

DÉGAGEZ LA PISTE, S'IL VOUS PLAÎT !
GLOB

Mesdames, messieurs, le départ du rallye olympique va être donné dans quelques instants... J'en profite pour vous lire la liste des concurrents...

A tout seigneur tout honneur... Le comte Harbourg sur Rolls-Royce... Les frères Kyoto et Tokyo sur Honda... Les Bras Chromés sur Matra... Et voici un participant de choix... Jolly Hollynight lui-même sur Ferrari... Dino Rizotto sur Lamborghini... Nous avons même une personnalité mystérieuse... Mais je m'interromps...
GLOB

... CAR LE COUP DE PISTOLET DU STARTER VIENT DE RETENTIR !
PATS
GLOB

VROOOOOAAARR
FERRARI
DAHL
LÓTUS

AH ! Quelle envolée impressionnante ! Tous les concurrents sont partis... Euh... tiens, non ! Il y a encore une voiture... Je consulte ma liste... Voyons... nº 4... Ce sont...
GLOB

... LES 4 AS ! Qui semblent avoir des difficultés à démarrer !
Alors, Lastic, ça y est, ou quoi ?
Une minute, Dina !
UNLO
GNIAGNIA
GNIAGNIA
GNIAGNIA
4

Puisque nous ne sommes pas encore partis, je pars chercher un sandwich...

Partira ! Partira pas !... Ha, ha !
Hé! Vous n'auriez pas oublié le moteur ? !
Peuh ! C'est malin !

Ah ! Enfin !
La clé de la patience ouvre la porte du succès, a dit le sage Cana Son !
BRROOMM
PAF

HÉÉÉÉÉÉ !
PRRRAAAAP
PAF
PATS

Formidable, ton essence spéciale, Doct ! Trois quarts de super, une mesure de lessive biologique suractivée, un doigt de cognac, vingt tablettes de vitamines...

Les vitamines, c'est moi qui en aurai besoin !... J'ai perdu mon sandwich.

Je suis heureux de présenter maintenant à nos téléspectateurs monsieur Volapuk... Monsieur Volapuk est le président de la Société GLOB, à laquelle nous devons ce rallye et sa formule si originale...
Parfaitement !

Un rallye très varié, je crois ?
Oui... En plus de la course automobile proprement dite, de nombreuses épreuves permettront aux concurrents de montrer leur force et leur adresse.

Et comme récompenses ?
Un prix unique, mais très élevé. Je remettrai à l'équipe gagnante un chèque d'un million de super-francs.

A l'inverse des personnalités connues comme le comte Harbourg, Jolly Hollynight, etc... l'un de vos concurrents est entouré d'un halo de mystère...

Vous faites allusion à la CAGOULE ROUGE. A mon avis, il doit s'agir d'une personnalité qui désire garder l'anonymat... Sa voiture est aussi étrange que lui !

Mais revenons au rallye ! On me signale que la Rolls du comte Harbourg est en tête...

Plus vite, Bastien !
J'ai le pied au plancher, monsieur le comte ! Nous faisons du 250 !

Peuh ! Quel veau, cette voiture ! Il faudra que je pense à la changer !

Mais la Honda des frères Kyoto et Tokyo est arrêtée au bord de la route...
Mon honorable frère n'a toujours pas trouvé la panne stupide ?
Ma grotesque personne cherche vainement.

Le rouge de la confusion envahit ma face méprisable... Mon ignorance n'a d'égale que mon inexpérience.

POAAAP

Haha ! Déjà en panne, les Japs !
Haha ! Ils doivent rire jaune !

Notre chanteur Jolly Hollynight ne se défend pas mal...

Mais la Lamborghini de Dino Rizotto le talonne...
PiiiiiP
PiiiiP

ROOOMM
BROMM

Cependant...
AAAAH ! LE VOILÀ !
Ah, chic !... Vous êtes prêtes ? Allons-y !

LE VOILÀÀÀÀ!
VIVE JOLLY!
JOLLY AVEC NOU-OU-OUS!
BEN! AÏÏAÏÏE!

Ben, alors quoi? J'peux plus passer, moi? Et la course, alors?

Vous croyez que nous avons une chance de gagner le rallye avec cette casserole?
NON, MAIS! CASSEROLE TOI-MÊME!

MELON!
PASTÈQUE!
Arrêtez! Vous me donnez faim!
NAVET!

Ma chère Dina, « l'important n'est pas de gagner, mais de participer » a proclamé monsieur de Coubertin.
Bah, nous ne gagnerons pas!

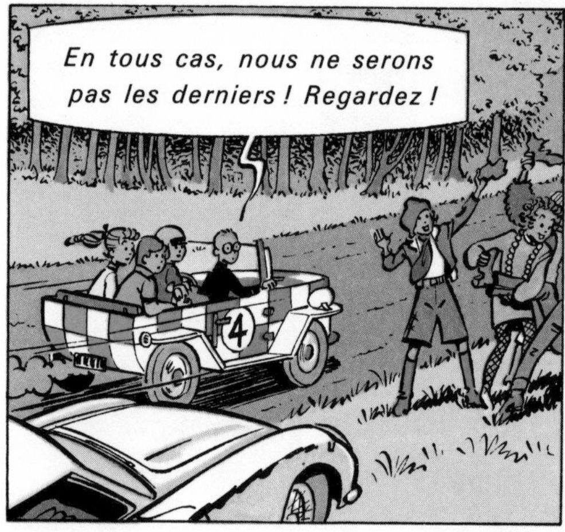
En tous cas, nous ne serons pas les derniers! Regardez!

Les voitures nos 12 et 23 ont été contraintes à l'abandon par de légers ennuis mécaniques.

Bastien! Pourquoi ralentissez-vous?
Je ferai respectueusement remarquer à monsieur le comte qu'il y a un feu rouge...

Les feux rouges, c'est pour les autres! ACCÉLÉREZ!

TU-UUUU

DZING
Bello

Vous allez voir comme le petit a grandi !
TOUT POUR

En effet !
...Elle se croit drôle !

Bastien ! Quel est ce bruit ?
C'est la roue qui frotte. La moto a défoncé notre carrosserie.
SOLDES
HOTEL RESTAURANT. LE
OSCAR
TRINC
TRINC
TRINC
TRINC
TRINC

Ces jeunes gens conduisent comme des fous !

Pas toutes à la fois, bon sang ! Y en a trop ! J'peux plus suivre, moi !

Si tous les autres tombaient en panne, nous pourrions gagner le million... Ah, si j'avais un million !

POUR OSCAR

... Mesdames, messieurs, voici le point du rallye. C'est la voiture des Bras Chromés qui se trouve en tête...

... suivie de près par l'étrange bolide de l'homme à la cagoule rouge...
6

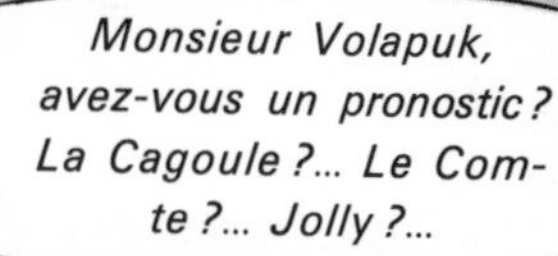
Monsieur Volapuk, avez-vous un pronostic? La Cagoule?... Le Comte?... Jolly?...

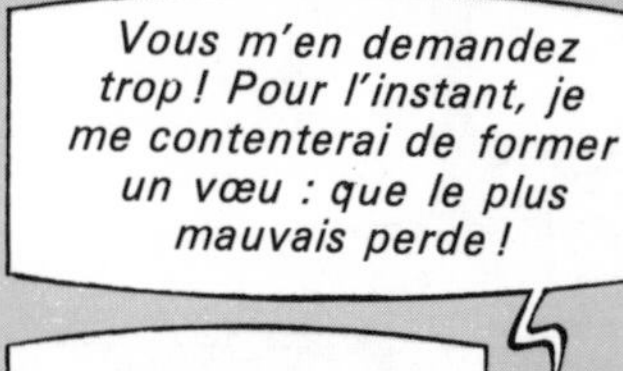
Vous m'en demandez trop! Pour l'instant, je me contenterai de former un vœu : que le plus mauvais perde!

HAHAHA!

Je vous remercie, monsieur le président... Nous allons maintenant assister en direct à l'arrivée de la première étape : Rigodon... A vous, Cafouillard de la Gargouille!

Euh... ici... Rigoud... Rigolo... euh... Rigodon! Eh bien... euh... hh! J'aperçois en tête... euh... la voiture... la... la...
ARRIVÉE

Oui... sapristi... la n° 7... des Bras Chromés...

Suivie par... euh... les Chinois... euh... du Japon... oui...

Puis vient la Cagoule Noire... Non... Jaune... euh... Rouge...

Quant à Jojo... Jolly... Hollyjour... Je crois qu'il a eu quelques ennuis...
2

Ben oui, quoi! C'est à cause de mes fans, quoi!

Cependant, à bord de la voiture de la Cagoule Rouge...

Tiens, le radio-téléphone!

BZNNNNN

Entendu, je les laisse conserver la tête un certain temps... Haha!

Allô ! Allô ! Les concurrents v... vont maintenant suivre le partial spécours... euh... le parcours spécial d'auto-cross...
ÉPREUVE 1 LA MARE

... qui mettra certainement les voitures et les équipages à rude épreuve.

Bastien, expédiez-moi illico ce parcours dérisoire...
Heu... Bien, monsieur le comte !

Allez, Bastien ! Pff... pff...

Bastien... L'extincteur, je vous prie...

Voilà, monsieur le comte !
PSCHHH

Merci, Bastien !

GLONK BONK

BONK BONK

GLONK BONK

Ben alors, quoi ?... J'y vois plus rien, moi !

Alors, quoi ?... J'suis dans l'fossé, moi !

Ben alors ?... Et mon prestige, quoi ?... J'suis vachement brimé, quoi !

Mais la compétition est particulièrement éprouvante pour les 4 As...

Attends... Je vais récupérer les morceaux de la « Torpille » (1).

Bouffi !... Attention !
POOOAAP

OUILLE !

Ben alors, quoi ?... J'me sors du fossé et vl'à que ça r'commence ! J'y vois plus rien, moi !
BONK

Ben, alors ?... J'vais m'mouiller, moi !
SPLATCH

(1) Voiture des 4 As (voir les « 4 As et la Vache sacrée »).

HÎÎÎÎÎ ! MAIS C'EST LUI ! JOLLY ! !
JOLLY HOLLYNIGHT !

Ben, c'est la célébrité, quoi !

Eh bien... euh... Les Bras Chromés remportent donc... euh... cette épreuve... euh... éprouvante... Notre grand Jolly, hélas, est éliminé... Il a dépassé d'une bonne heure le temps limite...

Peux-tu nous dire pourquoi, Jolly ?
Ben, j'ai été freiné, quoi !

Nos chances restent intactes...
Nos chances... PEUH !

Mais je dois effectuer en vitesse quelques réparations... Peux-tu me passer une épingle à cheveux, Dina ?
Voilà !

Euh... Encore une !

Encore...
Je n'en ai plus !

ATTENTION ! ATTENTION ! LES CONCURRENTS SUR LA LIGNE DE départ pour la troisième épreuve !

Quelle épreuve ?

ÇA !

... LE MUR INFERNAL OFFERT PAR LES HUILES "GLOB" ! !

Il va falloir franchir cette... chose ?
BRRR... Ça donne froid dans le dos !

Pour soutenir le moral, rien de tel qu'une bonne pile de sandwiches au jambon cuit...
Oscar ! Ne traverse pas la piste ! Tu vas te faire écraser !

Ah ! L'idiot de chien !
N... NE FREINE PAS !

Je t'avais dit : ne freine pas !

Allô ! Allô ! Les 4 As ?... AU DÉPART, S'IL VOUS PLAÎT !
BOMPS

Doct... Je te lègue mes robes, mes chaussures et mes bracelets en plastique véritable...

Tu prendras bien soin d'Oscar... N'oublie pas de lui donner sa pâtée quotidienne...
Quel brave garçon !

Nous serons dans le dictionnaire!

HOU-OU-HOU-OU ! !

VIVANTS !

Délicieux, ces sandwiches au jambon fumé !

ALLO ! ALLO ! L'épreuve du mur infernal est terminée. A présent, les rescapés du rallye vont prendre un repos bien mérité.

Caviar, foie gras et champagne... Pour mon chauffeur, une rondelle de saucisson.
Hé, Bouffi... commande un os à moelle pour moi !
Timbale Pompadour ? Tournedos Verdi ?... Entre les deux...

Oui, pour l'instant, les Bras Chromés tiennent la tête au classement général... Je vais m'en occuper...

Vous me servirez le déjeuner dans un cabinet particulier.
Bien, monsieur.

OH ! Je suis toute décoiffée ! Je suis horrible !
Pour une fois, tu dis la vérité !

HEIN ! Tu dis que je suis horrible ? Quel toupet !
Évitons les disputes, nous recommande Ocarinus d'Harmonium !

Voici, monsieur.

Écoute-moi bien ! Tu vas faire ce que je vais te dire, si tu ne veux pas avoir d'ennuis...
MAIS ! ?

IL N'Y A PAS DE MAIS !
Com... com... compris...

Hep ! Maître d'hôtel... C'est quoi au juste, un montmorency ?
Un... un gâteau à... à... la crème de pistache, monsieur.
Cela ne doit pas être mauvais...

OOOH !

Excusez-moi, messieurs... Comment s'appelle ce gâteau ?

Un montmorency... Il te fait envie n'est-ce pas, mon petit gars ?... Emporte-le donc !
Oh, non, monsieur... Je n'avais pas l'intention de... Un simple renseignement...

Prends-le donc... On va en commander un autre.
AH ! MERCI MILLE FOIS !

!?!

Alors, c'est fait ?
Euh... C'est-à-dire que... euh... oui, oui...

PSSUPP ! Délicieux, ce montmorency !
Messieurs les concurrents, départ dans cinq minutes !

HAHA ! Messieurs les Bras Chromés, vous n'irez pas loin !
Direction : Bois de Castelchâteau.

Un bois ? Qu'allons-nous faire dans un bois ?
Cueillir du muguet, peut-être ?
Chercher des os ?

Dix minutes plus tard...
Bizarre ! On dirait que cela ne leur fait aucun effet...

Tiens ? Il me semble que ma vue se déforme...
Mais... moi aussi...
Je... je me sens tout chose...

Diablevert ! Qu'est-ce que cela veut dire ?
Ce n'est pas désagréable...
Je me sens léger, léger... léger...
JE VOLE ! YOUPIII !
TCHIP TCHIP

Dix minutes plus tard...
Beuh ! J'ai l'impression d'avoir pris une indigestion...
Mille diableverts ! Que nous est-il arrivé ?

J'ai eu des hallucinations visuelles ou des visions hallucinatoires...
J'ai rêvé de chats...

On nous a drogués... J'en suis certain !
Si c'est vrai, cela prouve que nous sommes des concurrents très, très dangereux !

4

Dépêchez-vous, les autres sont déjà au travail !
9
4
1

Vous serez classés selon le temps qu'il vous faudra pour abattre votre arbre.

Ceci est une hache ! Ascia en latin...
Prendre quelques forces avant de se mettre au travail !

TAKS
TAKS
TAKS
TAKS

Si vous ne me donnez pas un coup de main, cette manche est perdue.

''Le travail c'est la santé'', a dit Salvador, Henri.

La santé... la santé... Je demande à voir...

Nous n'y arriverons pas... Les autres ont trop d'avance...
Je l'avais bien pensé !

En effet...

... les concurrents...

... ont presque fini...

Malgré tout, je n'ai... pas... dit... mon dernier mot...
TSOK

TSAK

Excusez-moi !

LASTIC ! ATTENTION !
CRRAAC

Nous avons gagné !

Pfft...

LASTIC ! ATTENTION !
CRAAAC

Euh... excuse-moi...

Mesdames, messieurs, après cette épreuve, remportée par les Bras Chromés, les concurrents vont se rendre à l'hippodrome d'Éperons...

Qu'allons-nous faire à cette hippi... hippo... truc ?
Du cheval, ma chère Dina !

Mesdames, mesdemoiselles, messieurs, nous nous rendons maintenant à l'hippodrome d'Éperons pour assister à la course d'obstacles du rallye olympique...

... Parmi les chevaux du paddock, vous avez sans doute reconnu...

Laser III,... Patapouf... Jéricho... Pissenlit IV et Casanova...
Mais voici que les chevaux sont attribués par tirage au sort à chaque équipe...
Nous avons Jéricho.
Lorsque les assiégeants eurent fait sept fois le tour de Jéricho en jouant de la trompette, les murailles de la ville s'écroulèrent.
NON ?

Je vois que Pissenlit est attribué à messieurs Tokyo et Kyoto...

Ma stupide personne est indigne de monter ce superbe pur-sang.
Le méprisable individu que je suis ne saurait enfourcher cette magnifique monture.

Monsieur le comte ne veut-il pas que je monte Laser III ?
NON ! Ceci est mon affaire, Bastien...
Tant mieux !

Lastic, tiens bien ta droite; ralentis aux croisements; ne double pas dans les virages; ne...

C'EST PARTI !...

... et tout de suite Jéricho prend la tête, suivi à une demi-longueur par Laser III...

... Nous avons en troisième position Patapouf qui semble un peu lourd pour ce parcours...
Ah, parlez-moi plutôt d'un bon champ à labourer !

L'honorable cheval va-t-il se mettre en route ?
Ma falote personne ne saurait répondre à l'honorable question.

... JÉRICHO PASSE LE PREMIER OSBTACLE !

... suivi de Laser III...

Aaah ! Pissenlit vient enfin de se décider à prendre le départ...

MAIS... AH !
LÀ, LÀ, LÀ, LÀ !

PLOUTCH

... Pendant que Patapouf se joue des obstacles...

... un duel serré oppose Jéricho à Laser III...

... tandis que Casanova semble hors de course...

ÇA Y EST ! LASTIC PREND LA TÊTE !
TUUUUUUT !

Tuuuuuuut...

Que se passe-t-il ? Une trompette d'enfant... Elle a effrayé Jéricho... Il s'emballe !

DIABLEVERT !

Patapouf est irrésistible... OH !

Mais Laser III fonce vers la ligne d'arrivée... Il va gagner... Oui !

Puis-je me permettre de féliciter monsieur le comte ?
Mais comment donc, Bastien !

Ce soir-là...
Où peut-il bien être ?
HOU-OÛÛÛ ? ?

Bah ! Nous nous rattraperons dans l'épreuve suivante.
Retournons à l'hôtel.

Enfantin, ce jumping !
Et hop ! Jé passé la troisième barrière avec mon élégance natourelle...

La prochaine étape doit nous amener au pied de la montagne... Deux cents kilomètres d'une traite !
Ils n'y arriveront pas !

Avec notre lamentable casserole, nous sommes bons pour la ''lanterne rouge'' !
Casserole, notre ''Torpille'' !

L'ennuyeux, c'est que Dina dit juste : notre " Torpille " est une casserole.

Tout le monde dort dans l'hôtel... ou presque...
Dis-donc, Gégène, tu ne crois pas que le richard... il est un peu trop fort ?
Tu l'as dit, Totor.

Si on arrangeait ça ?

Ces Japonais... hum... ils me tracassent...

... BASTIEN ! J'ai besoin de vous !

Vénéré frère, ne serait-il pas opportun qu'un hasard heureux fasse tomber en panne l'honorable véhicule des Bras Chromés ?
Aide le hasard et le hasard t'aidera, disait le vénérable Oto-Moto.

Ma qué, cé bonhomme masqué... il m'ennouie... si !

Oui, certains auront peut-être quelques difficultés demain.

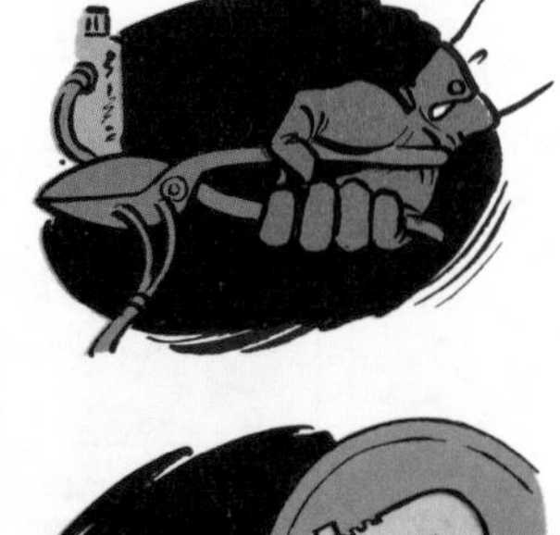

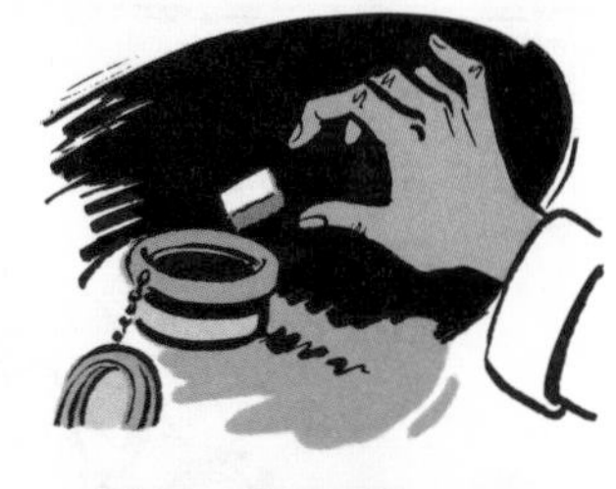

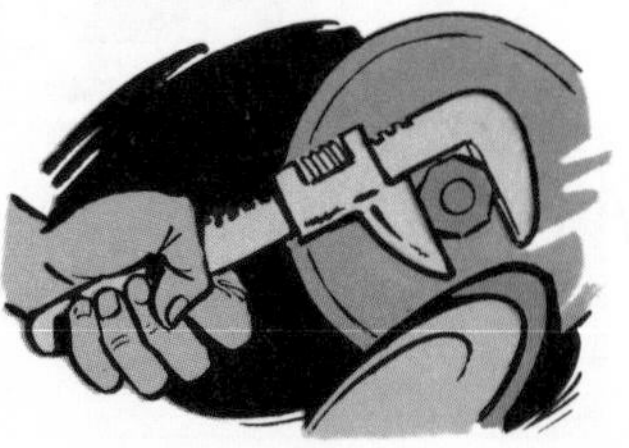

Et au lever du jour...

Oun giorno magnifiqué, n'est-cé pas ?
Ouais... fait beau.
8

Messieurs, êtes-vous prêts ?
PAW

Voilà... Ils sont tous partis... Et nous, on se traîne.

Oh, oh... Monsieur Rizotto a des ennuis.
Pas de chance !
BOUF

Pffft... Les Bras Chromés l'ont échappé belle !
En effet.

Tiens? On dirait que leur mécanique renâcle.
Voilà les Japonais...
RAC-TAC-CRRRR

REGARDEZ ! La roue du comte. Elle le quitte !
C'est triste !

Au suivant ! La Cagoule Rouge dans le décor !
C'EST BIEN FAIT !

MAIS ALORS ! DIABLEVERT ! ILS SONT TOUS EN PANNE !

Comment cela se fait-il ?
Tu sais, Dina... les mécaniques modernes, c'est fragile !

Profitons de notre avantage !

... Quoiqu'ils...

... aient...

... réparé...

... leurs dégâts...

... en hâte...

YOUPIIII ! !

Voici donc les concurrents aux pieds de la montagne...
C'est maintenant que les choses vont se gâter !

Se gâter ?... Pourquoi ?
Tu n'as pas vu ces montagnes ? Il va falloir les franchir !

Nous avons la foi qui aplatit les montagnes.
On ne passera pas !

Ils ont tout de même gagné l'étape ! Ils sont plus forts que je ne le croyais.
6

Et c'est le départ d'une des plus rudes épreuves du rallye olympique...

Alors, Bouffi, ça y est ?
Voilà, voilà !

Prends, Dina... Tu sais, l'air de la montagne...
Oui, je sais, ça creuse !

Prochaine étape : Mont-les-Sapins. C'est au bord d'un lac. Altitude 1.750 m.
Ce doit être ravissant.
C'est sûrement affreux.

Regardez ! Ils sont déjà là-haut ! Cette fois, nous sommes bel et bien battus !

Et de plus, voici le brouillard.

J'allume les phares !
Ah, zut ! En panne !

Tu es sûr que nous sommes dans la bonne direction, Lastic ?
Oui, oui, j'en suis sûr...
Je suis sûr du contraire !
ZONE MILITAIRE
MONT LES SAPINS
CAMP DE FARFOUILLY

AH ! Des feux rouges ! Je n'ai plus qu'à suivre cette voiture !

Comme ça, plus de problème !
Qu'il dit !

Oho, la jolie côte !

Il a stoppé... Je me demande où nous sommes ?
Dans le fond d'un pot de goudron, peut-être ?

Que se passe-t-il ?... L'autre voiture n'avance plus ?

On n'y voit plus rien du tout ! Pourvu que je ne sois pas décoiffée !
Attendez ! J'ai des allumettes !

RAAAWW

En voilà un boucan !
Lastic ! J'ai peur !

Où diable sommes-nous ?

Nous sommes dans un tunnel !
Qu'est-ce que tu dis ?

AH ! VOICI DU MONDE !

Ah, çà ! Mais... qu'est-ce que vous faites là ?

Nous nous sommes égarés dans ce tunnel...
CE... TUNNEL ?...

UN TUNNEL ! ?... HAHAHAHA ! Venez... Hi, hi !... Venez donc par ici...

UN TUNNEL ! !

! ! ! !

NOUS SOMMES...
DANS UN...
AVION !
Mais oui... un avion-cargo...

... qui transporte des véhicules militaires... C'est pour une manœuvre.
J'en suis toute éberluée !

Cette situation est digne d'une tragédie shakespearienne... Mais je reconnais qu'il est très peu question d'avions dans Shakespeare.

Et... puis-je savoir où nous allons ?
A l'aérodrome de Mont-les-Sapins.
PAS POSSIBLE ! ?

Une demi-heure plus tard, un peu plus loin et plus bas...
La manœuvre comportera donc une attaque simulée de la ville...
QG

Mon Général, l'avion-cargo vient d'atterrir.
AH ! Nous allons voir enfin à quoi ressemblent ces nouveaux blindés !

Un matériel remarquable, paraît-il.

Dites donc, vous... Est-ce que par hasard vous vous moqueriez de moi ?
Oui... euh... non...

Filons ! On n'en finirait pas de donner des explications !
4

Et cinq minutes plus tard...
LES VOILÀ !

... BRILLANTS VAINQUEURS DE LA MONTAGNE... CETTE MONTAGNE QUE... QUI...

Alors ?... Nous avons gagné ?
GLOB

HEIN ! ? LES P'TITS GARS SONT DÉJÀ LÀ ?...

Ainsi donc, cette minable trottinette est arrivée la première ?... IN-CROY-A-BLE !

Hé, oui ! Encore en tête ! Ils ont dû prendre un raccourci !

Je vois qu'il me faut prendre cette affaire en mains... Je saute dans un avion... Nous nous verrons dans une heure !

LA NOUVELLE ÉPREUVE DU RALLYE OLYMPIQUE PATRONNÉ PAR LES HUILES GLOB EST D'UNE IMPORTANCE CAPITALE !

Il s'agit d'une course au trésor, un trésor caché dans l'île qui se dresse au milieu du lac... A vous de le trouver !

TRRiiiiiTT
GLOB
GLOB
GLOB

Hé !... Attendez-moi !

Bouffi ! Tes sandwiches !
KAÏ !

Bastien, cap sur l'île!
Bien, monsieur le comte!

Quel paysage ! Superbe ! Un vrai technicolor !

On dit qu'il y a du saumon par ici...

ET IL Y EN A UN !
UN GROS !
COMME MOI!

Bouffi ! Lâche ÇA ! Nous n'avançons plus !
JAMAIS !

MAIS BOUFFI, VOYONS... BOUFFI ! NOUS RECULONS !
Attendez !

Et alors, hein !?
Ben... Comme ça, ça va !

Peu après...
Haha ! Il s'agit de creuser ?...

Allons, Bastien, creusez ! Du nerf, que diable !

Creuser, ça creuse !

OOH! OOH!
En voilà un gros paresseux !
Pas l'ombre d'un os!

LASTIC ! DOCT ! DINA ! OSCAR !

Ha, ha ! Creusez toujours ! Si vous saviez où est le trésor !

OH !

Ils l'ont trouvé !

YA HOÛÛÛ !

Ah, c'est idiot ! J'aurais dû me presser un peu plus...

DE L'OR ! DE L'OR !
Hum ! Elles sont bien légères, ces pièces !

DU CHOCOLAT ! DU CHOCOLAT ! C'EST UN VRAI TRÉSOR !

Du chocolat ! Pouah ! Ça valait bien la peine qu'on se fatigue à creuser !

Peu après le retour des concurrents...

Nous allons assister maintenant à une nouvelle épreuve comptant pour le rallye olympique : les joutes nautiques sur le merveilleux plan d'eau du Lac des Sapins.

HUILES

Cette fois, je n'ai plus rien laissé au hasard... Tu as compris ?
HAHA !

Des... des joutes... quoi ?
Des joutes nautiques, ma chère. On monte dans un bateau, l'adversaire aussi, et il s'agit de le faire basculer dans l'eau...

... D'ailleurs, voici les bateaux pontés.

ET HOP !
OUPS !

Bastien, vous êtes un minus !
Oui, gloub, mon- sieur le gloub... comte !

AU SUIV... OUPS ! !

AAATCHOUM !
Eh bien ?... Tu t'enrhumes ?

Si je tombe à l'eau, j'en profiterai pour attraper un poisson ou deux. Il y a peut-être du thon, ici ?

OOÏ !

OH ! La Cagoule Rouge vient de balancer à l'eau un des deux Japonais... Kyoto ou Tokyo... D'ici, je ne les distin- gue pas très bien...

A- AT- CHINN !

Diablevert ! Il est rudement fort, ce type !

De plus en plus fort !
OUAPS !

C'est à nous ! Courage, Bouffi... Ne te laisse pas abattre !
Sois tranquille !

Il reste de la poudre à éternuer ?
Oui, Kaktus, plus qu'il n'en faut !
PFFT
PFFT
PFFT

REUH ! ! !
BOPS

BRAVO, BOUFFI !
Tiens ?... Il a réussi !

C'est à cause de son masque ?
Évidemment ! Ça l'a empêché d'éternuer !

Et c'est l'équipe des 4 AS qui remporte les joutes nautiques offertes par les huiles GLOB !
GLOB

Après le lac, les sommets ! Une épreuve d'escalade est au programme du rallye olympique. Les équipes disposent d'une heure pour se préparer...

Ça veut dire que j'ai le temps de grignoter quelque chose pour reprendre des forces.
Un sandwich, par exemple ?

Certainement, un sandwich ! Et pourquoi pas un sandwich ?... Quelqu'un y voit-il une objection ?

Et si j'aime ça, moi, les sandwiches, hein ?
AUX 1000 SANDWIC
HACHIS
JAMBON
FILET D'A
PATÉ
ROLLMO
SALADE

Des cacahuètes, s'il vous plaît !

Une heure plus tard...
Il s'agit d'escalader le Nez des Alpes. Des pancartes numérotées ont été placées au sommet. L'équipe arrivée la première prendra la pancarte nº 1 et la rapportera ici. La deuxième équipe prendra le nº 2... La troisième le nº 3, et ainsi de suite... Attention au départ !

Allons, Bastien ! C'est mou ! Un peu de nerf !

Zut ! Mon lacet ! Continuez, je vous rejoins.

?

1

PÂÂÂR-FAIT !
1

Laissons le temps passer... et ces idiots s'échiner. Ha, ha !
1

RRROOOooo

Mais que fait donc Lastic ?
Je suppose qu'il nous rattrapera et j'ajouterai : « Quo non ascendet », ou, si tu préfères, ma chère Dina : « Jusqu'où ne montera-t-il pas ?... »

Au fait... si je faisais comme l'autre ?
1

Cependant, l'ascension se poursuit...
SOLE MIÔÔÔ!

Mille fois soit louée la très accueillante montagne!

Et ils appellent ça de la montagne!
Quelle rigolade!

Quelques centaines de mètres plus haut...
Sole mio!

Que dix mille fois soit maudite cette détestable montagne!

J'en ai plein le dos de leur montagne!
Ouais! Ils auraient pu installer un ascenseur!

Lastic ne nous a toujours pas rattrapés... Nous grimpons bien plus vite que lui!

POC

SPLOPS

Fais attention, Bouffi... Tu as failli me blesser avec ta fichue boîte de petits pois!

Tiens ! ?... Le no 1 est déjà parti !
Est-ce que Rizotto était avant nous ?
2 3 4 5

Non... Il nous suivait... C'est bizarre !
2

HHH-OUOU-AHH ! On va pouvoir y aller !

MON PANNEAU !

HHH-OUOU-AHH ! Eh bien ! on va pouvoir y aller !
1

1

POK

Petit chenapan !
TRICHEUR !

CHIC ! UN CHEMIN DE SCHLITTAGE !

OH ! Vite ! Venez par ici !

Comment ! ?... Tu es arrivé là-haut avant nous ?
Euh... Évidemment... Tu me prends pour une nouille?
1

N'est-ce pas une scierie, là, devant nous !
1

Oui, oui !... QUOI ?...
Dzzziiiiii

C'est la fin de l'histoire !

AAAAAH !
DZZiiiii

DZZOOOiiiIANC

Cette épreuve est remportée brillamment par l'équipe des 4 As !
Ils me le paieront !
GLOB

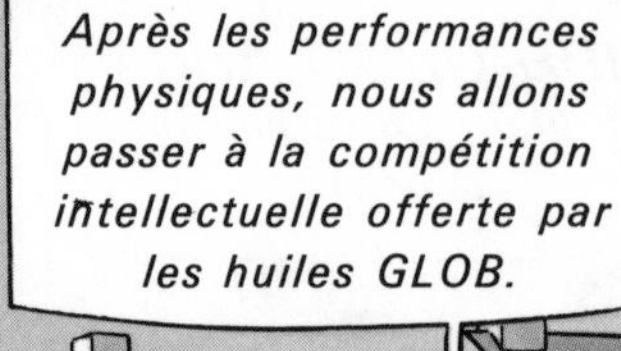
Après les performances physiques, nous allons passer à la compétition intellectuelle offerte par les huiles GLOB.

Écoute, Bouffi, écoute !
Oui, oui, miam... j'écoute.

Voici les pièces mélangées de plusieurs puzzles géants représentant chacun une bataille célèbre. Il s'agit, pour chaque équipe, d'en reconstituer l'image dans le minimum de temps.

Il... il va falloir remettre tout ça en ordre ?

PARTEZ !
Par là, Bastien !

Où faut-il mettre ça ?
Attendez !... Bataille de Bouvines... Non, non...

D'Azincourt ?... De Crécy, peut-être ?...
Dépêche-toi, Doct ! Les autres ont déjà commencé !

Oui, aucun doute ! C'est la bataille de Crécy, qui vit la victoire d'Edouard III sur Philippe VI en 1346... Les arbalétriers à ma gauche... les archers à ma droite... les piquiers sur les flancs !

Et voilà... Plus qu'une pièce, là !
STOP !

Et voici le vainqueur de cette grande épreuve !
OH !

Quelle est donc cette bataille que vous avez si habilement reconstituée ?
MARIGNAN 1515 !

Il est rudement fort !
C'est un tricheur, oui !

En seconde position, LES 4 AS !

Qu'est-ce que je disais !... Il avait un plan du puzzle !
OH !

Il faudra le tenir à l'œil.
Bouh ! Le vilain cagoulard !

Et sans plus attendre, les concurrents du rallye olympique vont se rendre à Flacon-de-Lavande... Cette importante étape de...
ROOAAARR

Je me demande si nous allons encore gagner cette étape ?
Sûrement pas !

Allo, Kaktus ?... Tu m'entends ?... Je vais prendre la déviation de Petitbois pour éviter l'huile que tu vas...

Oui, oui, entendu... Sur la route de Flacon, n'est-ce pas ?... D'accord, ce sera fait... Hahaha !

Au même instant, à l'intersection des deux routes...
Il est temps de déjeuner, hein, Médor.

Ouais, on va casser la graine !
Y tient pas, ce bidule.

Wahaha ! Tu viens consulter le menu ?

Voilà ! Je n'ai qu'à suivre la flèche... C'est ici.

Tout de même... Faudrait remettre ce panneau en ordre... Allez... Un bon mouvement !

HAHAHA ! ON VA BIEN RIRE !

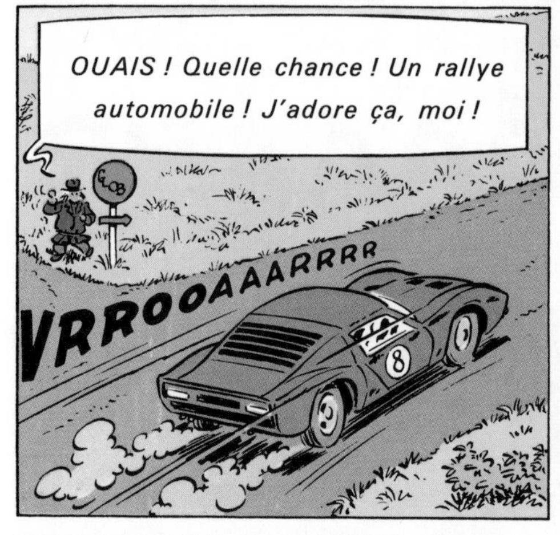
OUAIS ! Quelle chance ! Un rallye automobile ! J'adore ça, moi !
VRROOAAARRRR

Bravo, les p'tits gars ! Allez-y ! Poussez les moulins !

OHAH ! Ça barde, dans l'secteur... ALLEZ, allez ! !

ENCORE ! ET ENCORE ! J'ai toujours aimé le sport, moi !

Pas question pour moi de suivre les autres qui doivent être occupés à patauger dans l'huile...
Hé ! Hep ! C'est par là !

... dans l'huile...
L'HUILE !

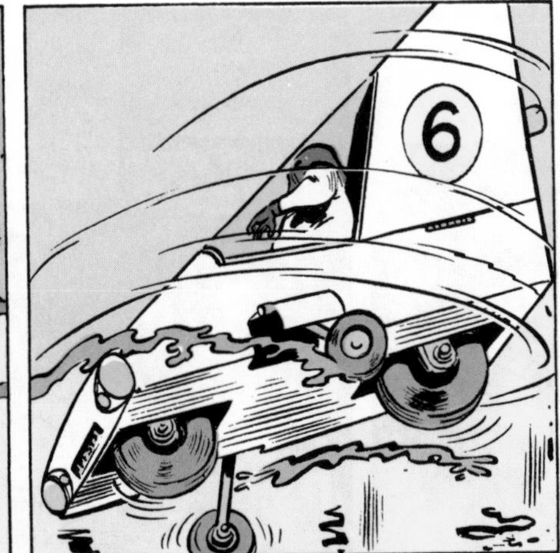

HEIN ! ?

BOF

Esprit, es-tu là ? [1]

OUIII ! Le voilà !
DZRING

Peu après...
Mais... enfin... je ne comprends pas... Vous m'avez bien dit de...

Je ne comprends toujours pas !

Pff... C'est une longue étape... Et la route est très mauvaise !
Je me demande si cette vilaine Cagoule Rouge est devant ou derrière nous

Te voilà renseignée !
VROOOAAR

Mes phares ! OH ! IL LE FAIT EXPRÈS !

[1] Voir « Les 4 as et le visiteur de minuit ».

Nous voilà frais ! Ça valait bien la peine que je répare mes phares !
Lastic... j'ai peur !

Tu t'arrêtes, Lastic ?
Alors ?
Eh oui... Mieux vaut ne pas continuer dans ces conditions !

On va passer la nuit, ici, dans le noir... exposés à tous les dangers... esseulés ?...

C'est gai ! GAI !

Cependant...
Haha ! On va gagner l'étape de nuit, les doigts dans le nez !

... TENTION ! ! !

Ben quoi ?... On ne peut pas passer ?
On fait un rallye... On est pressés !

Je regrette, messieurs, mais nous faisons passer trente et un régiments en manœuvre... Le barrage ne sera levé que demain matin.

DEMAIN MATIN !
QUOI ?...

COMMENT ?...
DEMAIN MATIN !

Et lorsque le jour paraît...

Eh bien... euh...
si on faisait...
... une petite...
... marche arrière ?

M... mais... ne so... soyez pas pas, pas... si nerveux... nom... d'un... chhhhien !

B... bon... S... surtout n... ne vous penchez p... pas... en av... avant p... pour... ad... admirer l... le... p... paysage.

CIEL ! NOTRE DERNIÈRE HEURE EST VENUE ! NOUS SOMMES À L'ACTE ULTIME DE LA TRAGÉDIE !

ADIEU, LES POMMES DE TERRE FRITES !
LASTIC ! J'AI PEUR !
Je savais bien qu'elle finirait mal, cette histoire !

QUEL DESTIN TRAGIQUE ! QUELLE SOMBRE DESTINÉE : LA PARQUE CRUELLE VA COUPER LE FIL DE NOS JOURS !

QUELLE AFFREUSE CONCLUSION ! QUELLE MISÉRABLE FIN !

ALORS, GRAND FLEMMARD, CE COUP DE MAIN ? C'EST POUR AUJOURD'HUI ?

Un peu plus tard...
Je le savais bien, qu'on s'en tirerait...
Oui, mais nous avons perdu l'étape ! Les autres doivent être arrivés depuis longtemps...

OH !

Voilà, messieurs, vous pouvez y aller.
BEN, ce n'est pas trop tôt !

A l'arrivée à Flacon-de-Lavande...
BEN, ÇA ALORS !?

Eh bien quoi ?
On a gagné l'étape, non ?
TUUUUT

Euh... nous ne vous attendions plus !...
Houaaa !

Et après quelques tasses de café fort...
Chaque concurrent dispose de trois minutes pour étudier le parcours, après quoi on lui bandera les yeux...

Toute erreur, tout obstacle renversé ou heurté entraînera une pénalisation de dix points.
Allez-y, Bastien !

TOP !

AH ! FLÛTE !

ZUT !
Le maladroit !
DONG

RE-ZUT !
L'empoté !

Ça suffit comme ça ! Je vais prendre votre place !

Ce n'est pourtant pas difficile !

D'abord les quilles...

... puis la cloche...

... l'escalier...

... et le BAQUET !

BASTIEN ! Mon cigare est éteint.

DONG

Brrr... Ça n'a pas l'air tellement facile !
Nous n'y arriverons sûrement pas !

BOM

MMMMM

Et voici le dernier concurrent... la Cagoule Rouge...

Il a l'air de se débrouiller rudement bien !
Je me demande comment il triche !

Un peu plus à gauche... Vous arrivez devant le tuyau...

... Encore trois pas et vous toucherez le tapis roulant.

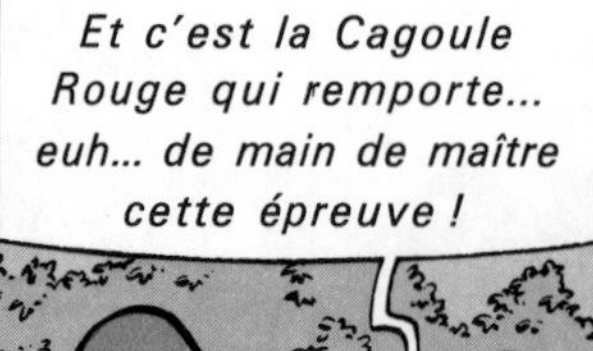
Et c'est la Cagoule Rouge qui remporte... euh... de main de maître cette épreuve !

Allo ! Allo ! Dans quelques instants, les concurrents du rallye olympique vont affronter l'ultime épreuve de cette grande compétition : l'ascension aérostatique avec franchissement obligatoire de la rivière. Rendez-vous au village !

Un voyage en ballon ! C'est merveilleux ! Pourvu que le vent ne me décoiffe pas !

Tiens ! Il emporte de quoi boire... Sàge précaution !

Vite ! Dix canettes de bière, cinq sodas, trois limonades, non, six... Avez-vous des tomates ?

Et des sandwiches, n'est-ce pas ?
Comment l'avez-vous deviné ?

LÂCHEZ TOUT !

Savez-vous que les premiers hommes de l'espace furent Pilâtre de Rozier et le Marquis d'Arlandes ?... En 1783, ils s'envolèrent à bord d'une montgolfière...

Quelle griserie ! Quelle pureté de l'air !
Oui, mais... oui, mais ?...

Nous sommes toujours au sol... Pourquoi ?

Parce que, selon le principe d'Archimède, le poids de l'air que déplace notre ballon est inférieur à celui dudit ballon.
AH ! Et ça veut dire quoi ?

QUE NOUS SOMMES TROP LOURDS !
NOOOON !

AH ! ENFIN !

Quel paysage ravissant !... Les autos sont toutes petites... C'est rigolo...
Rigolo ! Pffff... je n'ai presque plus rien à manger !

AH ! L'ivresse de l'altitude ! La conquête de l'air ! Quelle merveilleuse aventure ! Quel moyen exaltant de voyager !

AH ! Mes amis, je me sens soulevé ! Quel repos ! Quel silence ! AH ! Écoutez, mais écoutez donc la qualité exceptionnelle de ce silence !
Tu ne pourrais pas te taire cinq minutes, Doct ?

Haha ! Nous passerons bien la rivière les premiers... Vas-y, Kaktus !

FFFIIIINNN

OH ! Regardez ! Le ballon de la Cagoule Rouge ! Comme il avance vite !

Diablevert ! Il... il a allumé une fusée... Ah, le tricheur !
Si nous avions des rames, nous pourrions le rattraper !

ET D'UNE !...
Voici l'autre...

Tiens, elle ne s'allume pas...

BAOM

OOOOHH !

IMBÉCILE ! ! !
J... je ne comprends pas...

On a franchi la rivière... Vas-y doucement...

Mon très estimable frère veut-il tirer sur l'honorable corde de soupape ?
Mon insignifiante personne est confuse d'un tel honneur !

OH ! Le ballon des Japonais ! Ils ont dû confondre la corde de déchirure avec celle de soupape...

C'est pourtant bien facile... La commande de la soupape, c'est...
Celle-là ?

ZOOOOooo

Quoi c'est-y qu'vous faites là encore, vous aut'es ? (1)

Il s'est produit dans notre aérostat une rupture d'équilibre due à la diminution de la poussée sustentatrice par rapport à la pesanteur qui s'exerçait sur la masse de l'engin.

'tendez voir... J'm'en vas vous rupturer, moué ! J'vas vous sustentricer, moué !

Et voici les vainqueurs de...
Pas le temps...

N'oubliez pas ! C'est la dernière étape ! Arrivée à Château-Moulin !

J'vous pesantirai, moué ! S'pèces de Martiens ! Ma doué... En v'là 'cor un aut'e !
4

(1) Voir les " 4 As et l'aéroglisseur ".

Mais quoi c'est-y qu'c'est tout c'bazar, ma doué !
VRCOOAAR

Dernier acte ! La Cagoule Rouge entre en scène... ET EN FORCE !

CRAAAK

ET D'UN !

PAR EXEMPLE !?!?

Occupons-nous maintenant de monsieur Spaghetti !

DZZCOiiiiNGG
TING

ET DE DEUX !
SCHRRAAAK

JE SOUIS RAVI DÉ FAIRE VOTRE CONNAISSANCE !

AU SUIVANT !

POF-POF-POF

On dirait
que... euh...

ET DE TROIS !

HAHAHAHA !

ET DE QUATRE !
BRING

Encore un... le dernier !

FFFiioouuu

ET DE CINQ !
BAOM

Ils y ont tous passé ! Hahahaha !

Et voici Château-Moulin !

JE GAGNE !... DANS
UN FAUTEUIL !

HEIN !? QUOI !?

TRICHEUR ! Le train dans
lequel nous avons atterri
nous a menés directement
à la gare de
Château-Moulin !

Mais je gagne quand
même ! HAHAHAHA !
ARRIVÉE DU GRAND RALLYE
GLOB

Mais enfin ! Il faut dire à
tout le monde que ce vilain
cagoulard est un tricheur...
un affreux... un...
GRRR... Nous ne
sommes pas des mou-
chards !

En l'absence de Monsieur
Volapuk, Président-
Directeur-Général de la
Société GLOB, j'ai
l'honneur de déclarer la
Cagoule Rouge vainqueur
du rallye olympique, et
j'ai le plaisir de lui
remettre ce ch...

UN INSTANT !

Qu'y a-t-il,
monsieur
Pincette ?

Il y a que les
véhicules enga-
gés dans ce
rallye doivent
être équipés
des accessoires
de sécurité
prescrits par le
Code de la
Route ! Or, cette
voiture est
dépourvue de
catadioptres !

Après une courte
délibération...
Par conséquent, j'ai l'honneur de
déclarer vainqueurs les 4 AS...

VOICI LE CHÈQUE
D'UN MILLION DE
SUPER-FRANCS !

Permettez-moi de
vous féliciter.
Bravo, les
p'tits gars !
Humbles
félicitations !
Mé con-
gratoula-
tions !

NOUS AVONS GAGNÉ... YÉ-YÉ... LE RALLYE OLYMPIQUE PIC... PIC...

LE CHÈQUE ! EN VITESSE !
IIII ! J'AI PEUR !

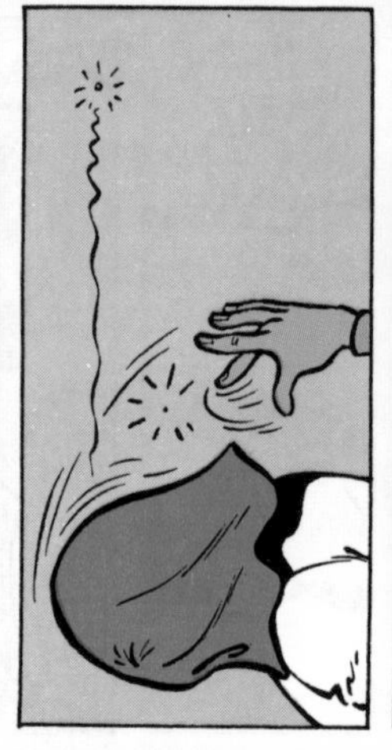

OH ! VOUS !

Eh oui ! Nous n'avions pas été sans remarquer les manigances malhonnêtes de cet individu ! Aussi l'avons-nous surveillé de près...

REGARDEZ ! C'EST MONSIEUR VOLAPUK !
Le Président-Directeur-Général de la Société GLOB !

Je comprends tout ! Vous vouliez gagner le rallye pour n'avoir pas à débourser le million !
Euh... oui... c'était... euh... une astuce...
Mais comment se fait-il que vous ayez assisté au départ de la course ? Vous ne pouviez pas en même temps conduire votre auto !

C'est mon assistant Kaktus qui a tenu le volant jusqu'à Mont-les-Sapins. Voilà... snif... Je peux partir ?... snif... Merci... snif...
Allez, triste sire !

JE PROPOSE DE PARTAGER NOTRE CHÈQUE AVEC TOUS NOS AMIS FINALISTES !
BRAVO ! BRAVO !
Ils sont très bien, ces jeunes gens !
CHOUETTE ! JE PROPOSE DE FÊTER CELA À L'AUBERGE DE LA BONNE SAUCISSE !
D'ACCORD ! ENFIN, UN VRAI REPAS ! PARCE QUE MOI, LES SANDWICHES... J'EN AI ASSEZ... ASSEZ !

Imprimé en Belgique par Casterman, s.a., Tournai, mars 1984. N° édit.-impr. 2941. Dépôt légal : 2e trimestre 1969; D. 1976/0053/26.
Déposé au Ministère de la Justice, Paris (loi n° 49.956 du 16 juillet 1949 sur les publications destinées à la jeunesse).